U0065309

作繪者／**鈴木守**

一九五二年出生於日本東京。東京藝術大學肄業。

主要繪本作品有《公車來了》、《渡雪》、《向前看、向旁看、向後看》、

《有趣的動物圖鑑》、《赫爾辛家的太陽日記》、《時光飛吧》、

《大家以前都是小嬰兒》、《鳥巢》、《世界鳥巢》、《找到鳥巢了》、

《鳥巢研究筆記》、《我的鳥巢繪畫日記》等。

曾以《黑貓五郎》系列榮獲紅鳥插圖獎。

● 封面 ● 挖土機　　● 封底 ● 附有挖土機的卡車
● 書名頁 ● 推土機

車子蓋房子

文・圖／鈴木守　翻譯／游韻馨

這是一間舊大樓，
裡頭沒有人住。

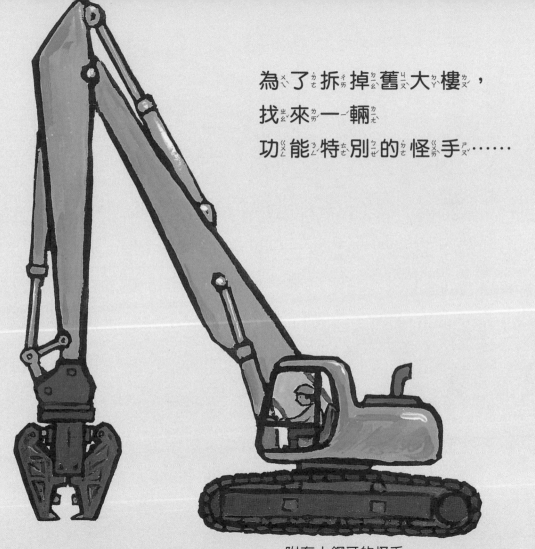

為（ㄨㄟˊ）了（ㄌㄜ˙）拆（ㄔㄞ）掉（ㄉㄧㄠˋ）舊（ㄐㄧㄡˋ）大（ㄉㄚˋ）樓（ㄌㄡˊ），
找（ㄓㄠˇ）來（ㄌㄞˊ）一（ㄧ）輛（ㄌㄧㄤˋ）
功（ㄍㄨㄥ）能（ㄋㄥˊ）特（ㄊㄜˋ）別（ㄅㄧㄝˊ）的（ㄉㄜ˙）怪（ㄍㄨㄞˋ）手（ㄕㄡˇ）……

附有大鋼牙的怪手

轉眼間，
舊大樓就被拆除了。

破碎機怪手
將拆除下來的
混凝土壓碎。

破碎機怪手

木頭和可燃垃圾
分開收集，
裝進卡車裡。

抓斗機怪手　　　　　　　　傾卸卡車

磁鐵機怪手吸起廢鐵，
裝進卡車裡，
熔掉後再利用。

磁鐵機怪手

運送廢鐵的卡車

挖土機　　　　　　　　碎石機

將壓碎的混凝土破碎成小碎石，
等日後再利用。

帶式輸送帶　　　　　　　　　　傾卸卡車

油壓式打樁機

舊大樓全部拆除完畢，
準備蓋一棟新大樓。
首先， 將混凝土樁
打入地底下。

預拌混凝土車

把混凝土灌入地底，
打好地基。

在地面上
架起鋼架。

越野吊車

在ㄗㄞˋ鋼ㄍㄤ架ㄐㄧㄚˋ上ㄕㄤˋ
架ㄐㄧㄚˋ設ㄕㄜˋ樓ㄌㄡˊ梯ㄊㄧ。

卡車　　　　　　　　　　越野吊車

把混凝土壓送到高樓，
一層一層灌注地板。

混凝土壓送車　　　　　　　　　　預拌混凝土車

把水泥牆板一塊一塊
組合起來。

卡車　　　　　　　　越野吊車

將外牆貼上磁磚。
在地上鑿洞，架設電線桿，
並完成瓦斯和自來水工程。

車載式鑿洞機

輪式挖土機　　　　　　　　　　　　　　卡車

電力人員忙著架設電纜，
開通電力。
大樓四周的路面也變得平坦。

高空作業車

壓路機

園藝公司
在大樓四周種植樹木。

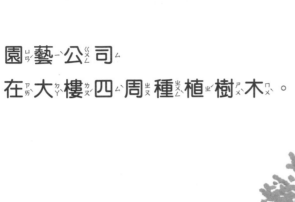

有推土板的挖土機

有吊臂的卡車

搬家公司把住戶的
行李搬過來。
廣告招牌公司
也在大樓外架起招牌。

卡車

越野吊車　　　　　　　　　　　　　垂直升降式高空作業車

新大樓蓋好囉！

繪本・0305

車子蓋房子

文、圖｜鈴木守　翻譯｜游韻馨

責任編輯｜黃雅妮、張佑旭　封面設計｜晴天　行銷企劃｜林思妤

天下雜誌創辦人｜殷允芃　董事長兼執行長｜何琦瑜

兒童產品事業群　副總經理｜林彥傑　總編輯｜林欣靜　主編｜陳毓書　版權主任｜何晨瑋、黃微真

出版者｜親子天下股份有限公司　地址｜台北市 104 建國北路一段 96 號 4 樓　電話｜（02）2509-2800　傳真｜（02）2509-2462

網址｜www.parenting.com.tw　讀者服務專線｜（02）2662-0332　週一～週五：09:00～17:30

讀者服務傳真｜（02）2662-6048　客服信箱｜parenting@cw.com.tw

法律顧問｜台英國際商務法律事務所・羅明通律師

製版印刷｜中原造像股份有限公司　總經銷｜大和圖書有限公司 電話（02）8990-2588

出版日期｜2012 年 5 月第一版第一次印行
　　　　　2022 年 11 月第二版第一次印行

定價｜280 元　書號｜BKKP0305P　ISBN｜978-626-305-322-9（精裝）

訂購服務 ───────────────

親子天下 Shopping｜shopping.parenting.com.tw

海外・大量訂購｜parenting@cw.com.tw

書香花園｜台北市建國北路二段 6 巷 11 號　電話（02）2506-1635

劃撥帳號｜50331356　親子天下股份有限公司

國家圖書館出版品預行編目（CIP）資料

車子蓋房子 / 鈴木守文．圖；游韻馨翻譯 .--
第二版 . -- 臺北市：親子天下股份有限公司,
2022.11
40 面；15x17.7 公分 . -- (繪本；305)
注音版
譯自：ビルをつくるじどうしゃ
ISBN 978-626-305-322-9(精裝)
1.SHTB: 認知發展 --3-6 歲幼兒讀物

861.599.　　　　　　　　111014460

立即購買 >

親子天下　親子天下 Shopping